RUDOKU

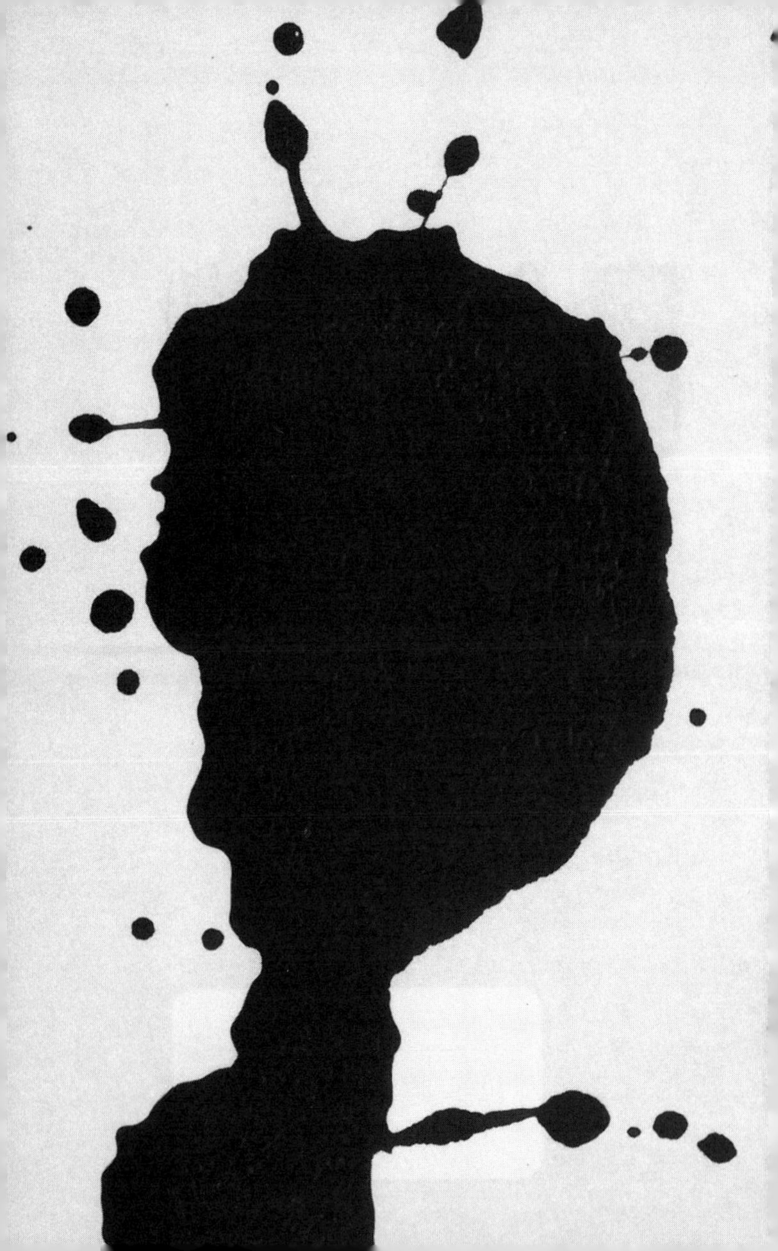

RUDOKU

HUGH JANUS

The rudest SUDOKU
word puzzles ever

First published in 2006 by
The Infinite Ideas Company Limited
36 St Giles
Oxford
OX1 3LD
United Kingdom
www.infideas.com

A CIP catalogue record for this book is available from the British Library.

ISBN 1-904902-75-8

Printed in the UK

Contents

* For a definition turn to the 'Lexicon of filth' at the end of the book

A word from the author

The University of Scunthorpe's Department of Advanced Invective has been carefully monitoring the inexorable growth of the sudoku phenomenon for over a year. As it spread globally we predicted that at some point in its development it would slip from the sun-dappled peaks of deductive reasoning into a poisonous abyss of wickedness and bad taste. We were determined to be there when it happened. Indeed, we expected to be the trailblazers who revealed for the first time the intellectual proximity of logic and depravity.

But how could we make the transition from the numbers 1 to 9 to the sort of filth that would constitute a genuine scientific breakthrough? In late spring 2005 colleagues at the University of Clitheroe used advanced spectroscopy techniques to develop a prototype rudoku formula. They posited the following words as plausible contenders: fudgelizard, rainbowdick and froggycheeks*. Fine words all, but fine words butter no butterbags as we say up here. As they had more than nine letters they failed to meet the stringent requirements set by the International Rudoku Agency.

In August 2005 a group of my PhD students at Scunthorpe engineered a further leap in our understanding of rudoku with arsemelon and beefpoker. We were getting closer to the greatest prize in scholarship, but we were still not there. These words had nine letters but some were repeated. We knew that at least six advanced

* For a definition turn to the 'Lexicon of filth' at the end of the book

research teams around the world were focussing the finest minds in the social sciences on cracking what had become known as the Great Rudoku Conundrum. The pressure to be first was intense.

Finally, in September 2005 we had the breakthrough we deserved. As England's cricketers took the field on the last day of the final test at the Oval I conducted a routine examination of our Petri dishes and found in one of them a sign of life. LUNGWARTS. At that point we weren't exactly sure what lungwarts were, though we suspected that they were associated with fried eggs. Were we close to a new frontier of filth?

It was a dramatic breakthrough and as the day progressed it is no wonder that the entire country was in a state of fevered excitement about it. But it was, still, just one word, and one word does not a whole new theory of social organisation make. Even a word as good as lungwarts. Could we multiply the spore? Could we, here in Scunthorpe, transform the world's whole intellectual landscape?

By early the following week FUDGESLOT had appeared, and then, suddenly, CLAMJOUST. By October they were tumbling in and we had lab jars bulging with sheer filth. We had done what no team of researchers had ever done before. Our small party of smut pioneers had sledged to the South Pole of civilisation and had driven a mighty quimstake into the ground for Britain. We had achieved the impossible. We had transformed sudoku, a perfectly innocent pastime enjoyed by grannies, small children and vicars the world over, into a vile, stinking cesspit, a relentless torrent of complete shit.

I am proud that my colleagues and I have achieved in a matter of months the sort of reverse alchemy that the Arts Council often takes years to achieve. This is the sort of dedication to scholarship for its own sake that allows Britain to hold its head high in the world.

Professor Hugh Janus

Scunthorpe, November 2005

What is rudoku?

Rudoku is a variation of hidden word sudoku. The hidden words are either in and of themselves filthy, or they suggest an activity that no-one in their right mind would engage in (except you possibly). A rudoku puzzle consists of a 9 × 9 grid (nine rows and nine columns) divided into nine 3 × 3 boxes into which a few letters have already been placed. The nine letters used in the puzzle are listed below the grid. The object of the puzzle is to fill in all the remaining squares with the given letters, so that each row, each column and each 3 × 3 box contains all nine letters. Each of the nine letters appears just once in each row, once in each column, and once in each 3 × 3 box.

Each of the puzzles in this book contains a hidden word that will gradually emerge as you complete the puzzle. It might appear in one of the rows (either forwards or reversed), in one of the columns (either upwards or downwards) or in one of the boxes (either horizontally or vertically). If you want to know more, the meaning of each word or phrase can be found by turning to the 'Lexicon of filth' at the end of the book.

Crop sprayers

Nice, easy ones to get you started

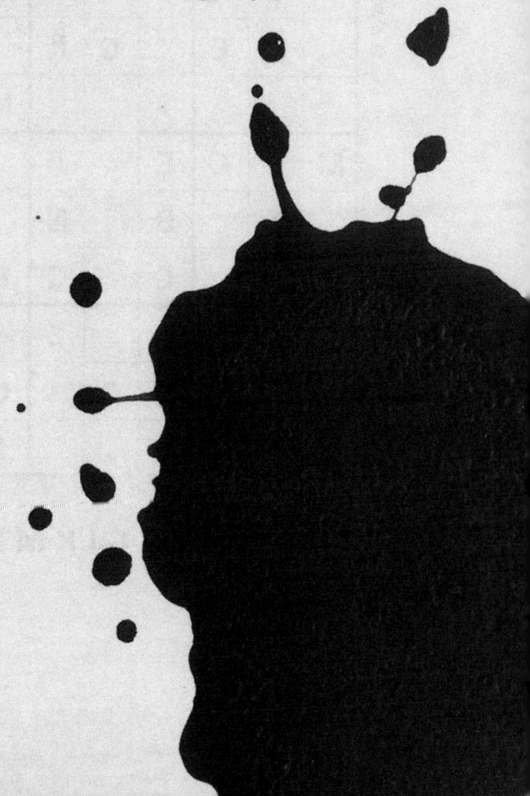

1. Round the corner

	C	K				M	N	
	B	E		G	K			A
			I			K		B
M		C	E		A			
	E		B		N		G	
			C		G	E		I
G		M			E			
E			N	A		G	C	
	A	N				I	K	

A B C E G I K M N

Word: _ _ _ _ _ _ _ _ _

2. A bit of Danish

	B	O		C				T
I		T		L		N		A
			A		T		B	
		C		B			T	L
S			L		N			C
L	A			O		S		
	I		S		O			
B		A		I		T		S
N				T		O	L	

A B C I L N O S T

Word: _ _ _ _ _ _ _ _ _

3. Granny's favourite

E		S			O		D	U
		G	D				O	
			U	S	F			
	G	O	F			D		E
D				U				S
L		F			E	T	U	
			S	F	D			
	O				T	G		
S	T		G			F		L

D E F G L O S T U

Word: _ _ _ _ _ _ _ _ _

4. Breathing problems

	N	T	R	L			W	
G					W		T	
A		S	G			U	L	
					R	A	S	W
			N		U			
W	G	L	T					
	T	W			G	L		S
	A		U					N
	R			S	N	G	A	

A G L N R S T U W

Word: _ _ _ _ _ _ _ _ _

5. Need a mint?

E	R			H	T			G
	O		B					H
		T	O			D	E	
R				G		E	D	
	G		T		R		A	
	D	B		O				T
	E	O			A	B		
T					D		O	
H			G	E			R	A

A B D E G H O R T

Word: _ _ _ _ _ _ _ _ _

6. Rear mudguards

	A				**R**			**L**
F		**P**		**G**	**I**			
	L			**S**		**P**	**I**	**N**
	S				**N**			**F**
	R	**A**				**N**	**P**	
G			**A**				**L**	
N	**G**	**F**		**A**			**R**	
			I	**L**		**S**		**G**
L			**N**				**A**	

A F G I L N P R S

Word: _ _ _ _ _ _ _ _ _

7. Luxury cruise

	E				Q	K		
	Q		I				D	T
O			E	D	K			
E		O		U		I	Q	
		K	D		I	O		
	T	I		K		D		C
			T	C	U			D
C	U				D		E	
		D	Q				I	

C D E I K O Q T U

Word: _ _ _ _ _ _ _ _ _

8. Breast is best

A			J			W	G	
K		U	N			J		
G	J				W			K
R	E			K	J		N	
	U						E	
	N		R	E			A	J
N			E				K	U
		W			U	R		G
	K	R			A			N

A E G J K N R U W

Word: _ _ _ _ _ _ _ _ _

9. Vampire slayer

		S			A	I		M
	E		I	S		Q		
K				M			A	T
	U			A	S	E		
A			Q		E			K
		T	U	I			M	
T	M			U				S
		Q		K	I		U	
I		U	S			T		

A E I K M Q S T U

Word: _ _ _ _ _ _ _ _ _

10. Dolphin friendly

		T			I	U	N	
D	E			N	G		A	
A			E					R
G	T			E		R		
	U		D		A		T	
		I		T			E	U
U					E			G
	R		I	A			U	D
	N	E	U			T		

A D E G I N R T U

Word: _ _ _ _ _ _ _ _ _

11. A trifling matter

	D	E	T					
R		P	O				T	K
	U			S	P			E
	R	O	S	U				
E								S
				P	K	O	D	
U			P	T			E	
T	K				O	S		U
					D	R	O	

D E K O P R S T U

Word: _ _ _ _ _ _ _ _ _

12. Full English breakfast

		A			I	P	L	N
L			A	S	O	B		
I	C						S	
		O	I				A	B
			O		L			
N	S				B	C		
	I						B	C
		L	N	O	A			P
A	P	S	B			L		

A B C I L N O P S

Word: _ _ _ _ _ _ _ _ _

Bunker busters

These might give you a bit more trouble

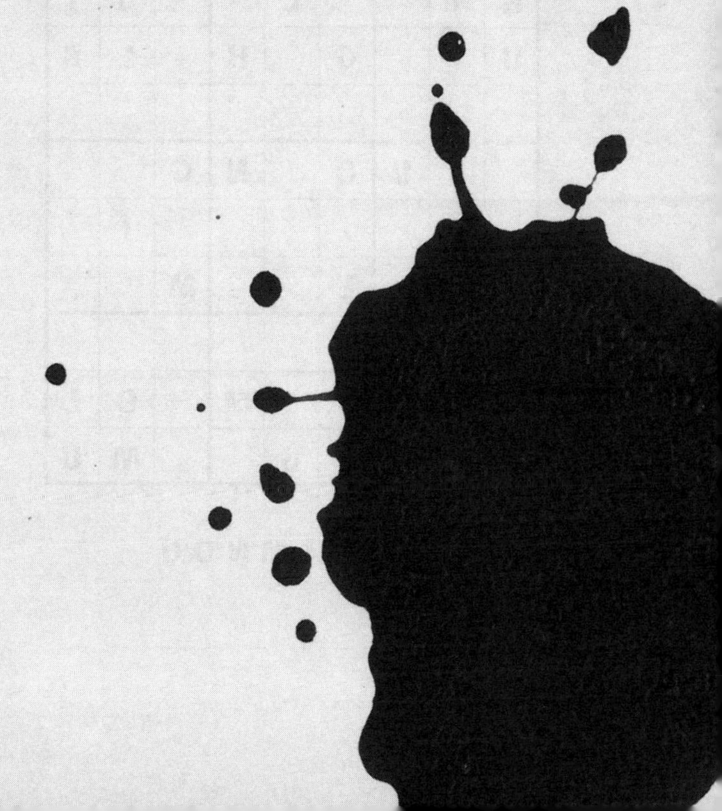

13. Extreme sports

H	M			L			G	I
U	I		G		H		L	B
		U	O		N	G		
	B						I	
		I	L		G	M		
I	N		B		M		O	L
L	O			G			M	U

B G H I L M N O U

Word: _ _ _ _ _ _ _ _ _

14. Band practice

L							U	T
			P					
P	U		T			F	S	L
					A	U		F
	S						A	
A		F	U					
M	E	A			T		P	S
					S			
U	L							E

A E F L M P S T U

Word: _ _ _ _ _ _ _ _ _

15. Mischievous sprite

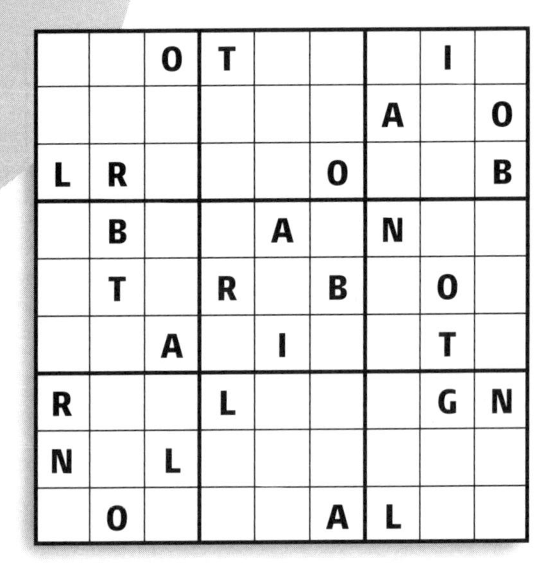

		O	T				I	
						A		O
L	R				O			B
	B			A		N		
	T		R		B		O	
		A		I			T	
R			L				G	N
N		L						
	O				A	L		

A B G I L N O R T

Word: _ _ _ _ _ _ _ _ _

16. A day at the races

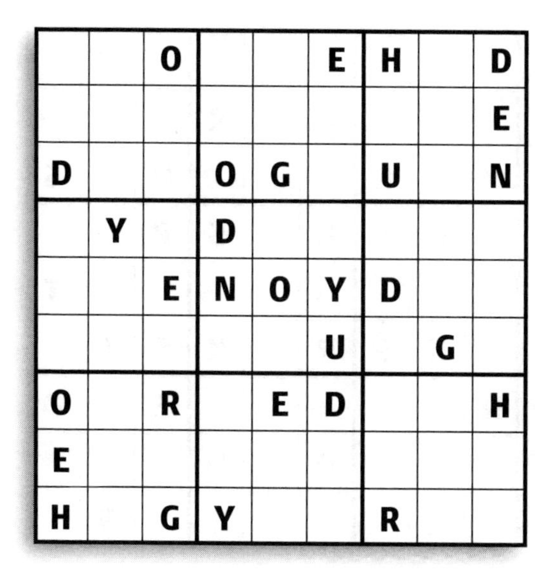

		O			E	H		D
								E
D			O	G		U		N
	Y		D					
		E	N	O	Y	D		
					U		G	
O		R		E	D			H
E								
H		G	Y			R		

D E G H N O R U Y

Word: _ _ _ _ _ _ _ _ _

17. Chimney sweep

	P						H	
			E		R			
H		R				O		S
	K	E	H		S	P	O	
O								T
	H	P	R		K	S	I	
R		T				E		O
			P		O			
	E						S	

E H I K O P R S T

Word: _ _ _ _ _ _ _ _ _

18. How shellfish!

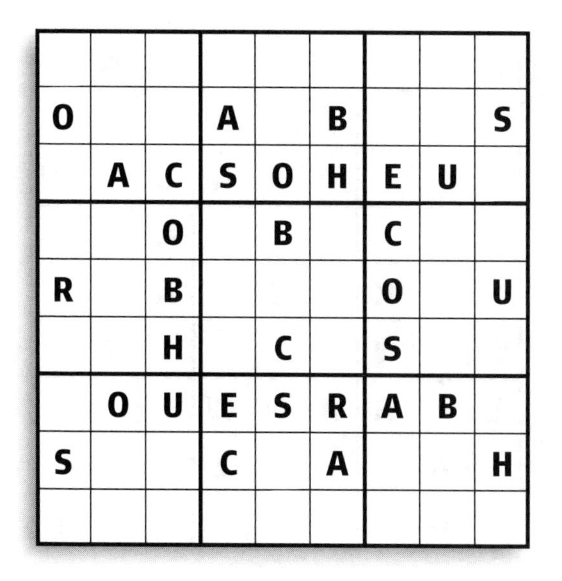

O			A		B			S
	A	C	S	O	H	E	U	
		O		B		C		
R		B				O		U
		H		C		S		
	O	U	E	S	R	A	B	
S			C		A			H

A B C E H O R S U

Word: _ _ _ _ _ _ _ _ _

19. Pedigree chum

R				K			N	
			E				D	
			O	R	N	G		W
	O					N		K
		K		E		A		
W		N					R	
E		A	R	N	W			
	G				E			
	D			G				R

A D E G K N O R W

Word: _ _ _ _ _ _ _ _ _

20. Was that you, deer?

		S	T			C	K	
R	C			K	U		B	
U								N
	S							R
	N			C			O	
T							S	
K								C
	U		C	B			N	T
	R	B			T	O		

B C K N O R S T U

Word: _ _ _ _ _ _ _ _ _

21. Seafood knight

S	A	C					J	
				O	J		S	
		T			U	C		
		M					T	S
C	L					M		
		A	S			L		
	U		J	M				
	T					O	C	M

A C J L M O S T U

Word: _ _ _ _ _ _ _ _ _

22. Traffic wardens

				A				
	A		K		L		E	
M	W						K	N
	M	S				E	N	
W			A		M			K
	K	I				S	W	
K	L						M	E
	E		L		K		S	
				I				

A E I K L M N S W

Word: _ _ _ _ _ _ _ _ _

23. Foaming at the mouth

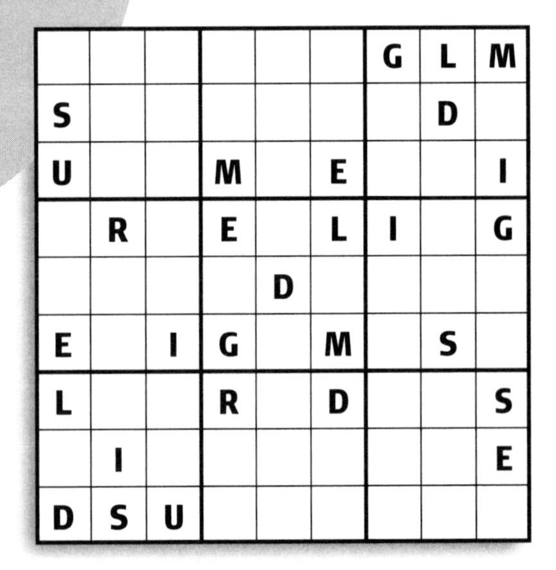

						G	L	M
S							D	
U			M		E			I
	R		E		L	I		G
				D				
E		I	G		M		S	
L			R		D			S
	I							E
D	S	U						

D E G I L M R S U

Word: _ _ _ _ _ _ _ _ _

24. Octopussy

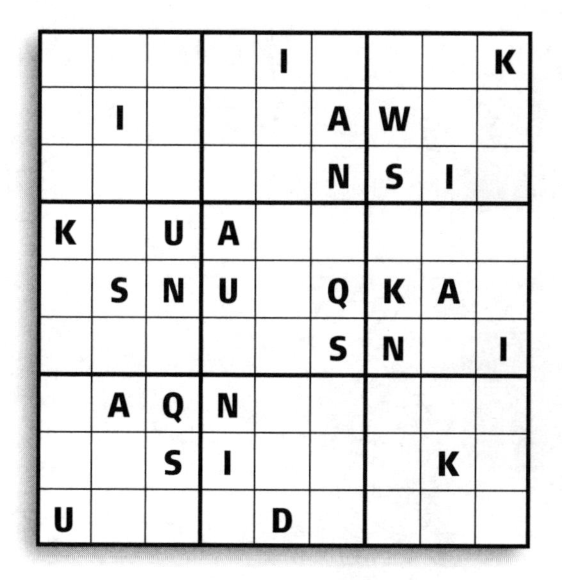

A D I K N Q S U W

Word: _ _ _ _ _ _ _ _ _

Traveller's marrows

Careful here, these require concentration

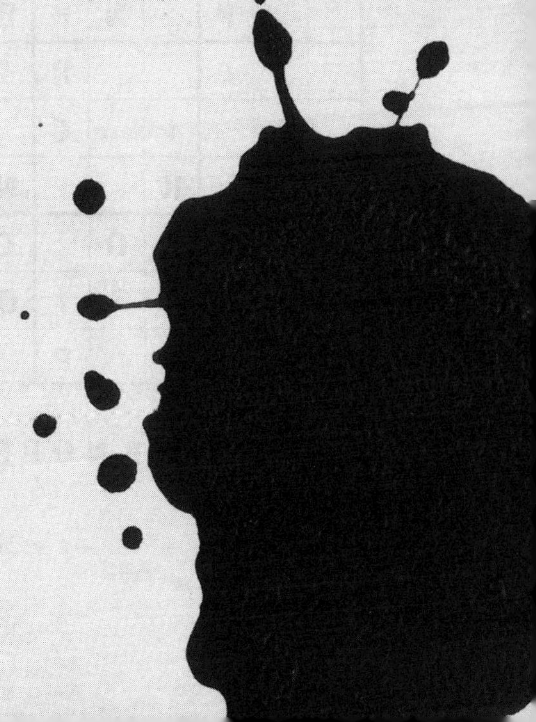

25. Snakes alive

			C					
	R	A	P					
		P		N	K	B		
		C			R			
	A		I		C		O	
			K			N		
		K	B	O		C		
					I	O	A	
					P			

A B C I K N O P R

Word: _ _ _ _ _ _ _ _ _

26. Hard labour

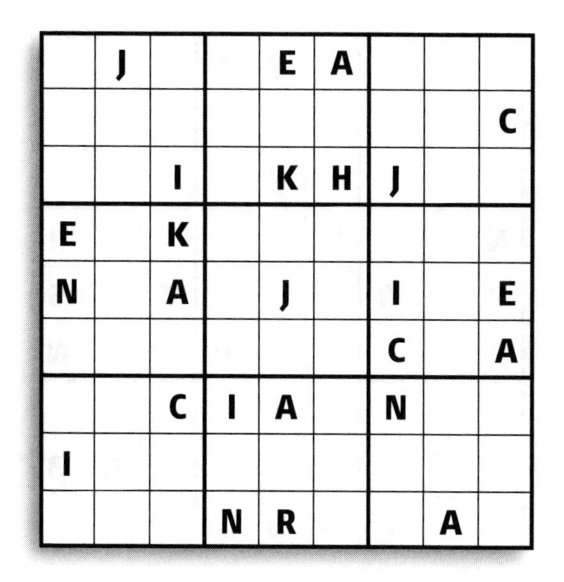

	J			E	A			
								C
		I		K	H	J		
E		K						
N		A		J		I		E
						C		A
		C	I	A		N		
I								
			N	R			A	

A C E H I J K N R

Word: _ _ _ _ _ _ _ _ _

27. On the breadline

				T	C	S		
O	T						C	
				B				
N			K					U
U		R				C		S
S					B			N
				C				
	C						R	B
		U	S	N				

B C K N O R S T U

Word: _ _ _ _ _ _ _ _ _

28. Egg, bacon, sausage and...

I	A							S
	Y			V				
		P				I	E	A
		I	A					M
			Y	S	N			
A					V	P		
N	P	A				S		
				Y			I	
S							N	V

A E I M N P S V Y

Word: _ _ _ _ _ _ _ _ _

29. Use it or lose it

	M		C		Y		E	
		U		O		L		
			S		M			
O				E				L
		L				O		
U				J				E
			M		O			
		E		Y		J		
	S		E		J		L	

C E J L M O S U Y

Word: _ _ _ _ _ _ _ _ _

30. Crater capers

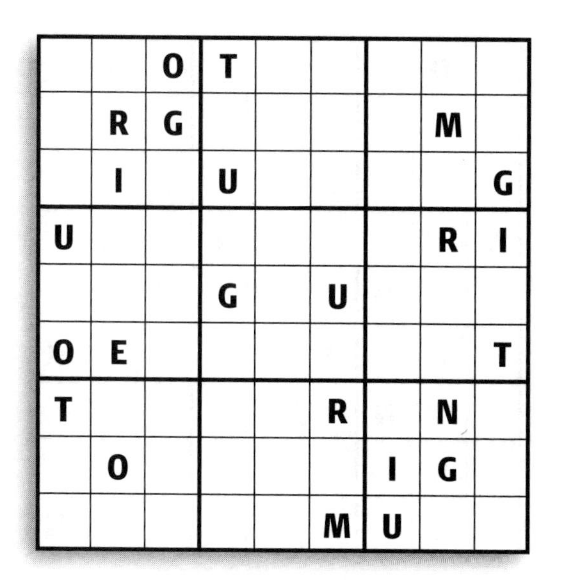

		O	T					
	R	G					M	
	I		U					G
U							R	I
			G		U			
O	E							T
T					R		N	
	O					I	G	
					M	U		

E G I M N O R T U

Word: _ _ _ _ _ _ _ _ _

31. Freshly squeezed

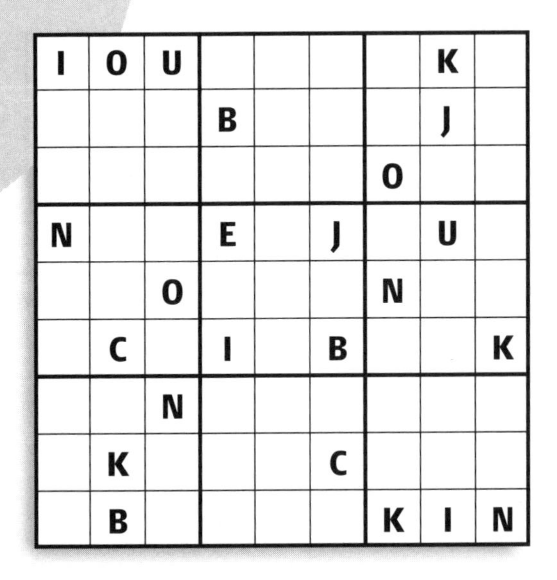

I	O	U					K	
			B				J	
						O		
N			E		J		U	
		O				N		
	C		I		B			K
		N						
	K				C			
	B					K	I	N

B C E I J K N O U

Word: _ _ _ _ _ _ _ _ _

32. Coal miner's daughter

U	E		C			T		
			A				S	U
G			U				C	
						A	L	
			G	S	U			
	T	H						
	L				T			C
H	G				C			
		E			G		H	T

A C E G H L S T U

Word: _ _ _ _ _ _ _ _ _

33. A trip to the circus

	S				W			C
			A	N				
	H					W	T	
			N				C	
	W	S				O	A	
	N				L			
	T	A					L	
				L	O			
S			H				O	

A C H L N O S T W

Word: _ _ _ _ _ _ _ _ _

34. Spellbound

U	F			P				
			U					
		Y		I			E	A
A		R						
		U	P		I	Y		
						R		I
Y	E			B		P		
					A			
				U			B	E

A B E F I P R U Y

Word: _ _ _ _ _ _ _ _ _

35. Squirreled away

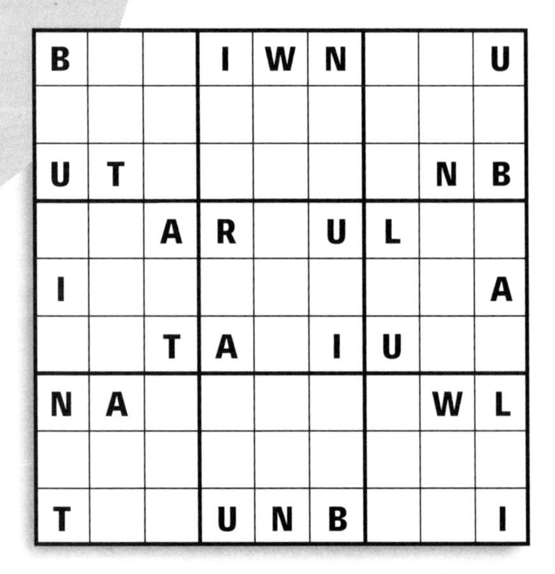

B			I	W	N			U
U	T						N	B
		A	R		U	L		
I								A
		T	A		I	U		
N	A						W	L
T			U	N	B			I

A B I L N R T U W

Word: _ _ _ _ _ _ _ _ _

36. The House of Lords

		E	B					
				K	H	D		E
	B						N	K
H	A							
			K	E	B			
							S	N
E	K						A	
O		D	E	A				
					D	K		

A B D E H K N O S

Word: _ _ _ _ _ _ _ _ _

Arse goblins

Ooh, these are painful

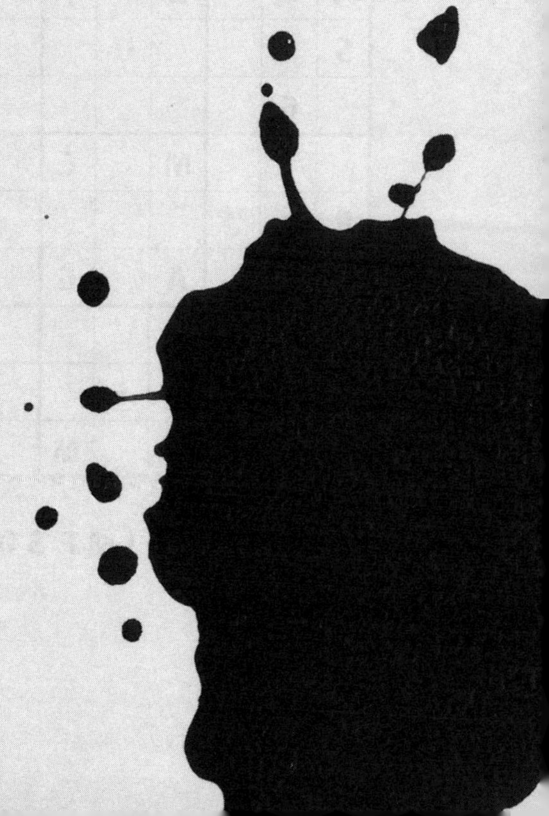

37. In the dairy

A	U		E		J		S	R
S				U				E
	G						U	
			M		C			
R								G
			A		G			
	M						R	
J				C				S
E	R		U		M		G	C

A C E G J M R S U

Word: _ _ _ _ _ _ _ _ _

38. Lord of the Flies

	U		Y		F		A	
		G		A		F		
				N				
I	F						R	G
R								Y
A	G						N	F
				I				
		R		Y		D		
	A		N		G		Y	

A D F G I N R U Y

Word: _ _ _ _ _ _ _ _ _

39. Hey, gringo

H								C
C	T	S				F		A
	A		H					
F					S	I		
			I		O			
		Y	C					H
					T		C	
O		I				T	A	F
A								Y

A C F H I O S T Y

Word: _ _ _ _ _ _ _ _ _

40. At the WI

				A				
		G			J	T		
	M	J				B	T	
	G		O		T			
T				L				E
			J		G		L	
	B	O				A	J	
		A	M			G		
				O				

A B E G J L M O T

Word: _ _ _ _ _ _ _ _ _

41. Down on the farm

	C		U					K
G		P	C					
		U		F				
F				K				
	R			P			E	
				E				U
				I		U		
					G	C		I
R					F		P	

C E F G I K P R U

Word: _ _ _ _ _ _ _ _ _

42. The House of Commons

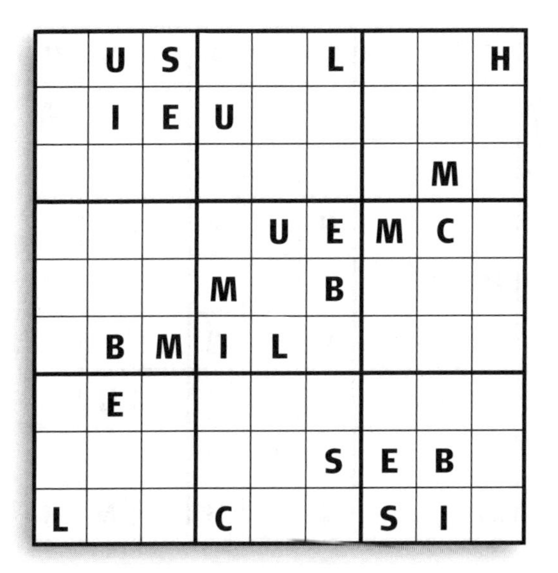

	U	S			L			H
	I	E	U					
							M	
				U	E	M	C	
			M		B			
	B	M	I	L				
	E							
					S	E	B	
L			C			S	I	

B C E H I L M S U

Word: _ _ _ _ _ _ _ _ _

43. Chocolate daisies

C	I		M		A		S	U
S				I				M
	N						I	
			H		B			
U								N
			C		N			
	H						U	
A				B				S
M	U		I		H		N	B

A B C H I M N S U

Word: _ _ _ _ _ _ _ _ _

44. Dr Who?

G	S	T			D			
			A					R
	I							S
		R		O			T	
		S				D		
	T			I		O		
D							A	
S					L			
			G			I	S	L

A D G I L O R S T

Word: _ _ _ _ _ _ _ _ _

45. Drink up!

		Y	S					C
		C	I			A		H
							P	
A	R			H				
	I						U	
				R			H	I
	U							
P		S			A	H		
C					R	Y		

A C H I P R S U Y

Word: _ _ _ _ _ _ _ _ _

46. Bluebeard's mum

				R	A		I	
A								
		B	D			R		
R			Q		E	U		
I								M
		Q	A		B			D
		U			R	E		
								Q
	D		U	B				

A B D E I M Q R U

Word: _ _ _ _ _ _ _ _ _

47. Got a light?

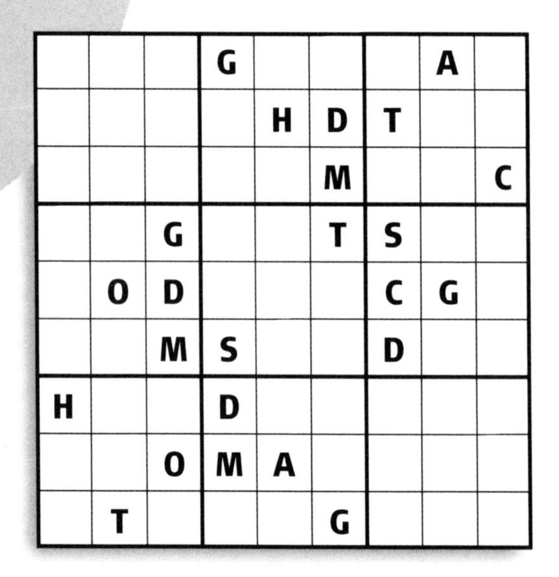

			G				A	
				H	D	T		
					M			C
		G			T	S		
	O	D				C	G	
		M	S			D		
H			D					
		O	M	A				
	T				G			

A C D G H M O S T

Word: _ _ _ _ _ _ _ _ _

48. Evenin' all

	S	E						B
	B	T	C				N	
						L		
					E	T	B	
			L		B			
	C	L	O					
		N						
	E				O	A	C	
A						N	T	

A B C E L N O S T

Word: _ _ _ _ _ _ _ _ _

Solutions

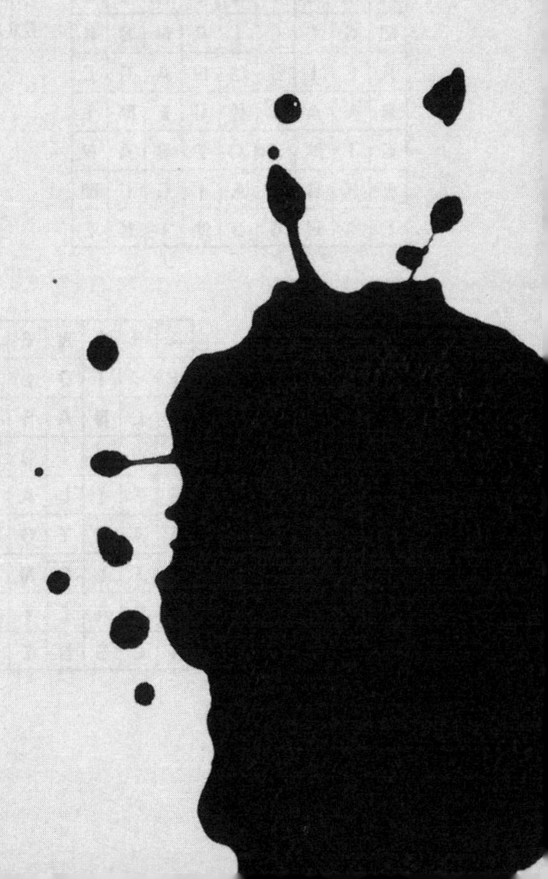

Puzzles 1 & 2

I	C	K	A	E	B	M	N	G
N	B	E	M	G	K	C	I	A
A	M	G	I	N	C	K	E	B
M	G	C	E	I	A	N	B	K
K	E	I	B	M	N	A	G	C
B	N	A	C	K	G	E	M	I
G	I	M	K	C	E	B	A	N
E	K	B	N	A	I	G	C	M
C	A	N	G	B	M	I	K	E

Word:
BACK MINGE

Word:
BACON SLIT

A	B	O	N	C	I	L	S	T
I	S	T	O	L	B	N	C	A
C	L	N	A	S	T	I	B	O
O	N	C	I	B	S	A	T	L
S	T	I	L	A	N	B	O	C
L	A	B	T	O	C	S	I	N
T	I	L	S	N	O	C	A	B
B	O	A	C	I	L	T	N	S
N	C	S	B	T	A	O	L	I

Puzzles 3 & 4

E	F	S	T	G	O	L	D	U
T	U	G	D	E	L	S	O	F
O	D	L	U	S	F	E	G	T
U	G	O	F	T	S	D	L	E
D	E	T	L	U	G	O	F	S
L	S	F	O	D	E	T	U	G
G	L	E	S	F	D	U	T	O
F	O	U	E	L	T	G	S	D
S	T	D	G	O	U	F	E	L

Word:
FUDGE SLOT

Word:
LUNGWARTS

U	N	T	R	L	A	S	W	G
G	L	R	S	U	W	N	T	A
A	W	S	G	N	T	U	L	R
T	U	N	L	G	R	A	S	W
R	S	A	N	W	U	T	G	L
W	G	L	T	A	S	R	N	U
N	T	W	A	R	G	L	U	S
S	A	G	U	T	L	W	R	N
L	R	U	W	S	N	G	A	T

Puzzles 5 & 6

E	R	A	D	H	T	O	B	G
D	O	G	B	R	E	A	T	H
B	H	T	O	A	G	D	E	R
R	T	H	A	G	B	E	D	O
O	G	E	T	D	R	H	A	B
A	D	B	E	O	H	R	G	T
G	E	O	R	T	A	B	H	D
T	A	R	H	B	D	G	O	E
H	B	D	G	E	O	T	R	A

Word:
DOGBREATH

Word:
RING FLAPS

S	A	I	P	N	R	G	F	L
F	N	P	L	G	I	R	S	A
R	L	G	F	S	A	P	I	N
P	S	L	R	I	N	A	G	F
I	R	A	G	F	L	N	P	S
G	F	N	A	P	S	I	L	R
N	G	F	S	A	P	L	R	I
A	P	R	I	L	F	S	N	G
L	I	S	N	R	G	F	A	P

Puzzles 7 & 8

D	E	C	U	T	Q	K	O	I
K	Q	U	I	O	C	E	D	T
O	I	T	E	D	K	U	C	Q
E	D	O	C	U	T	I	Q	K
U	C	K	D	Q	I	O	T	E
Q	T	I	O	K	E	D	U	C
I	O	E	T	C	U	Q	K	D
C	U	Q	K	I	D	T	E	O
T	K	D	Q	E	O	C	I	U

Word:
DECK QUOIT

Word:
JUGWANKER

A	R	N	J	U	K	W	G	E
K	W	U	N	G	E	J	R	A
G	J	E	A	R	W	N	U	K
R	E	A	U	K	J	G	N	W
J	U	G	W	A	N	K	E	R
W	N	K	R	E	G	U	A	G
N	G	J	E	W	R	A	K	U
E	A	W	K	N	U	R	J	G
U	K	R	G	J	A	E	W	N

Puzzles 9 & 10

U	T	S	K	Q	A	I	E	M
M	E	A	I	S	T	Q	K	U
K	Q	I	E	M	U	S	A	T
Q	U	K	M	A	S	E	T	I
A	I	M	Q	T	E	U	S	K
E	S	T	U	I	K	A	M	Q
T	M	E	A	U	Q	K	I	S
S	A	Q	T	K	I	M	U	E
I	K	U	S	E	M	T	Q	A

Word:
QUIMSTAKE

Word:
TUNA RIDGE

R	G	T	A	D	I	U	N	E
D	E	U	R	N	G	I	A	T
A	I	N	E	U	T	D	G	R
G	T	A	N	E	U	R	D	I
E	U	R	D	I	A	G	T	N
N	D	I	G	T	R	A	E	U
U	A	D	T	R	E	N	I	G
T	R	G	I	A	N	E	U	D
I	N	E	U	G	D	T	R	A

Puzzles 11 & 12

K	D	E	T	R	U	P	S	O
R	S	P	O	D	E	U	T	K
O	U	T	K	S	P	D	R	E
D	R	O	S	U	T	E	K	P
E	P	K	D	O	R	T	U	S
S	T	U	E	P	K	O	D	R
U	O	R	P	T	S	K	E	D
T	K	D	R	E	O	S	P	U
P	E	S	U	K	D	R	O	T

Word:
PUDSTROKE

Word:
BACON LIPS

S	O	A	C	B	I	P	L	N
L	N	P	A	S	O	B	C	I
I	C	B	L	P	N	O	S	A
P	L	O	I	C	S	N	A	B
B	A	C	O	N	L	I	P	S
N	S	I	P	A	B	C	O	L
O	I	N	S	L	P	A	B	C
C	B	L	N	O	A	S	I	P
A	P	S	B	I	C	L	N	O

Puzzles 13 & 14

H	M	B	U	L	O	N	G	I
U	I	N	G	M	H	O	L	B
O	G	L	I	N	B	U	H	M
M	L	U	O	I	N	G	B	H
G	B	O	M	H	U	L	I	N
N	H	I	L	B	G	M	U	O
B	U	M	H	O	L	I	N	G
I	N	G	B	U	M	H	O	L
L	O	H	N	G	I	B	M	U

Word:
BUMHOLING

Word:
SPAM FLUTE

L	A	M	E	S	F	P	U	T
S	F	T	P	L	U	M	E	A
P	U	E	T	A	M	F	S	L
E	M	L	S	P	A	U	T	F
T	S	U	M	F	L	E	A	P
A	P	F	U	T	E	S	L	M
M	E	A	F	U	T	L	P	S
F	T	P	L	E	S	A	M	U
U	L	S	A	M	P	T	F	E

Puzzles 15 & 16

A	N	O	T	B	R	G	I	L
B	G	T	I	N	L	A	R	O
L	R	I	A	G	O	T	N	B
I	B	R	O	A	T	N	L	G
G	T	N	R	L	B	I	O	A
O	L	A	G	I	N	B	T	R
R	A	B	L	T	I	O	G	N
N	I	L	B	O	G	R	A	T
T	O	G	N	R	A	L	B	I

Word:
TAR GOBLIN

N	G	O	U	Y	E	H	R	D
Y	R	U	H	D	N	G	O	E
D	E	H	O	G	R	U	Y	N
U	Y	N	D	R	G	E	H	O
G	H	E	N	O	Y	D	U	R
R	O	D	E	H	U	N	G	Y
O	U	R	G	E	D	Y	N	H
E	N	Y	R	U	H	O	D	G
H	D	G	Y	N	O	R	E	U

Word:
GREYHOUND

Puzzles 17 & 18

E	P	I	O	S	T	R	H	K
S	O	K	E	H	R	I	T	P
H	T	R	K	I	P	O	E	S
I	K	E	H	T	S	P	O	R
O	R	S	I	P	E	H	K	T
T	H	P	R	O	K	S	I	E
R	I	T	S	K	A	E	P	O
K	S	H	P	E	O	T	R	I
P	E	O	T	R	I	K	S	H

Word:
SHITPOKER

Word:
CRABHOUSE

E	H	S	U	R	C	B	A	O
O	U	R	A	E	B	H	C	S
B	A	C	S	O	H	E	U	R
U	S	O	R	B	E	C	H	A
R	C	B	H	A	S	O	E	U
A	E	H	O	C	U	S	R	B
H	O	U	E	S	R	A	B	C
S	B	E	C	U	A	R	O	H
C	R	A	B	H	O	U	S	E

Puzzles 19 & 20

R	W	G	D	K	A	O	N	E
K	N	I	E	W	G	R	D	A
A	E	D	O	R	N	G	K	W
D	O	E	W	A	R	N	G	K
G	R	K	N	O	D	A	W	O
W	A	N	G	O	K	E	R	D
E	K	A	R	N	W	D	O	G
O	G	R	K	D	E	W	A	N
N	D	W	A	G	O	K	E	R

Word:
DOGWANKER

N	O	S	T	R	B	C	K	U
R	C	T	N	K	U	S	B	O
U	B	K	O	S	C	R	T	N
O	S	U	B	T	K	N	C	R
B	N	R	U	C	S	T	O	K
T	K	C	R	O	N	U	S	B
K	T	N	S	U	O	B	R	C
S	U	O	C	B	R	K	N	T
C	R	B	K	N	T	O	U	S

Word:
BUCKSNORT

Puzzles 21 & 22

S	A	C	M	L	T	U	J	O
U	M	L	C	O	J	T	S	A
O	J	T	A	S	U	C	M	L
A	O	M	U	C	L	J	T	S
T	S	U	O	J	M	A	L	C
C	L	J	T	A	S	M	O	U
M	C	A	S	T	O	L	U	J
L	U	O	J	M	C	S	A	T
J	T	S	L	U	A	O	C	M

Word:
CLAM JOUST

E	I	K	W	A	N	W	L	S
S	A	N	K	W	L	M	E	I
M	W	L	I	E	S	A	K	N
L	M	S	W	K	I	E	N	A
W	N	E	A	S	M	L	I	K
A	K	I	N	L	E	S	W	M
K	L	W	S	N	A	I	M	E
I	E	A	L	M	K	N	S	W
N	S	M	E	I	W	K	A	L

Word:
WANK SLIME

Puzzles 23 & 24

I	E	R	D	U	S	G	L	M
S	M	G	L	I	R	E	D	U
U	D	L	M	G	E	S	R	I
M	R	D	E	S	L	I	U	G
G	L	S	U	D	I	M	E	R
E	U	I	G	R	M	L	S	D
L	G	E	R	M	D	U	I	S
R	I	M	S	L	U	D	G	E
D	S	U	I	E	G	R	M	L

Word:
RIM SLUDGE

Word:
SQUID WANK

S	N	A	W	I	D	U	Q	K
Q	I	K	S	U	A	W	D	N
W	U	D	K	Q	N	S	I	A
K	D	U	A	N	I	Q	S	W
I	S	N	U	W	Q	K	A	D
A	Q	W	D	K	S	N	U	I
D	A	Q	N	S	K	I	W	U
N	W	S	I	A	U	D	K	Q
U	K	I	Q	D	W	A	N	S

Puzzles 25 & 26

B	K	O	C	R	A	P	I	N
N	R	A	P	I	B	K	C	O
I	C	P	O	N	K	B	R	A
O	B	C	N	P	R	A	K	I
K	A	N	I	B	C	R	O	P
R	P	I	K	A	O	N	B	C
A	I	K	B	O	N	C	P	R
P	N	B	R	C	I	O	A	K
C	O	R	A	K	P	I	N	B

Word:
PINK COBRA

C	J	H	R	E	A	K	I	N
K	R	E	J	N	I	A	H	C
A	N	I	C	K	H	J	E	R
E	I	K	A	C	N	H	R	J
N	C	A	H	J	R	I	K	E
J	H	R	K	I	E	C	N	A
R	E	C	I	A	K	N	J	H
I	A	N	E	H	J	R	C	K
H	K	J	N	R	C	E	A	I

Word:
CHAIN JERK

Puzzles 27 & 28

R	U	B	O	T	S	S	N	K
O	T	K	N	S	U	B	C	R
C	S	N	R	B	K	T	U	O
N	B	C	K	R	S	O	T	U
U	K	R	T	O	N	C	B	S
S	O	T	C	U	B	R	O	N
K	N	O	B	C	R	U	S	T
T	C	S	U	K	O	N	R	B
B	R	U	S	N	T	K	O	C

Word:
KNOB CRUST

Word:
VEINY SPAM

I	A	M	E	N	P	Y	V	S
E	Y	S	I	V	A	M	P	N
V	N	P	S	M	Y	I	E	A
Y	V	I	A	P	E	N	S	M
P	M	E	Y	S	N	V	A	I
A	S	N	M	I	V	P	Y	E
N	P	A	V	E	I	S	M	Y
M	E	V	N	Y	S	A	I	P
S	I	Y	P	A	M	E	N	V

Puzzles 29 & 30

J	M	O	C	L	Y	S	E	U
S	Y	U	J	O	E	L	M	C
E	L	C	S	U	M	Y	O	J
O	J	M	Y	E	S	C	U	L
Y	E	L	U	M	C	O	J	S
U	C	S	O	J	L	M	Y	E
L	U	J	M	S	O	E	C	Y
C	O	E	L	Y	U	J	S	M
M	S	Y	E	C	J	U	L	O

Word:
JOY MUSCLE

Word:
RIM TONGUE

M	U	O	T	R	G	N	I	E
N	R	G	E	I	O	T	M	U
E	I	T	U	M	N	R	O	G
U	G	N	M	T	E	O	R	I
I	T	R	G	O	U	M	E	N
O	E	M	R	N	I	G	U	T
T	M	U	I	G	R	E	N	O
R	O	E	N	U	T	I	G	M
G	N	I	O	E	M	U	T	R

Puzzles 31 & 32

I	O	U	J	C	N	B	K	E
K	N	C	B	E	O	I	J	U
J	E	B	U	I	K	O	N	C
N	I	K	E	O	J	C	U	B
B	J	O	C	K	U	N	E	I
U	C	E	I	N	B	J	O	K
O	U	N	K	B	I	E	C	J
E	K	I	N	J	C	U	B	O
C	B	J	O	U	E	K	I	N

Word:
KNOBJUICE

U	E	S	C	G	L	T	A	H
T	C	L	A	H	E	G	S	U
G	H	A	U	T	S	E	C	L
E	U	G	T	C	H	A	L	S
L	A	C	G	S	U	H	T	E
S	T	H	E	L	A	C	U	G
A	L	U	H	E	T	S	G	C
H	G	T	S	U	C	L	E	A
C	S	E	L	A	G	U	H	T

Word:
SLAG CHUTE

Puzzles 33 & 34

T	S	L	O	H	W	A	N	C
W	O	C	A	N	T	H	S	L
A	H	N	L	S	C	W	T	O
H	A	T	N	O	S	L	C	W
L	W	S	C	T	H	O	A	N
C	N	O	W	A	L	T	H	S
O	T	A	S	W	N	C	L	H
N	C	H	T	L	O	S	W	A
S	L	W	H	C	A	N	O	T

Word:
CLOWN'S HAT

U	F	E	A	P	Y	B	I	R
R	A	I	U	E	B	F	Y	P
B	P	Y	R	I	F	U	E	A
A	I	R	F	Y	U	E	P	B
E	B	U	P	R	I	Y	A	F
F	Y	P	B	A	E	R	U	I
Y	E	A	I	B	R	P	F	U
P	U	B	E	F	A	I	R	Y
I	R	F	Y	U	P	A	B	E

Word:
PUBE FAIRY

Puzzles 35 & 36

B	R	L	I	W	N	A	T	U
A	W	N	B	U	T	I	L	R
U	T	I	L	R	A	W	N	B
W	B	A	R	T	U	L	I	N
I	U	R	N	L	W	T	B	A
L	N	T	A	B	I	U	R	W
N	A	U	T	I	R	B	W	L
R	I	B	W	A	L	N	U	T
T	L	W	U	N	B	R	A	I

Word:
RIB WALNUT

Word:
KNOBHEADS

K	D	E	B	N	A	S	O	H
A	N	O	S	K	H	D	B	E
S	B	H	O	D	E	A	N	K
H	A	B	D	S	N	E	K	O
N	O	S	K	E	B	H	D	A
D	E	K	A	H	O	B	S	N
E	K	N	H	B	S	O	A	D
O	S	D	E	A	K	N	H	B
B	H	A	N	O	D	K	E	S

Puzzles 37 & 38

A	U	C	E	M	J	G	S	R
S	J	R	G	U	A	M	C	E
M	G	E	C	S	R	A	U	J
G	S	A	M	E	C	R	J	U
R	E	M	S	J	U	C	A	G
U	C	J	A	R	G	S	E	M
C	M	U	J	G	S	E	R	A
J	A	G	R	C	E	U	M	S
E	R	S	U	A	M	J	G	C

Word:
CREAMJUGS

Word:
DUNG FAIRY

D	U	I	Y	G	F	N	A	R
N	Y	G	R	A	D	F	I	U
F	R	A	U	N	I	Y	G	D
I	F	Y	D	U	N	A	R	G
R	N	U	G	F	A	I	D	Y
A	G	D	I	R	Y	U	N	F
Y	D	N	F	I	R	G	U	A
G	I	R	A	Y	U	D	F	N
U	A	F	N	D	G	R	Y	I

Puzzles 39 & 40

H	Y	O	T	F	A	S	I	C
C	T	S	O	I	Y	F	H	A
I	A	F	H	S	C	Y	T	O
F	O	C	A	H	S	I	Y	T
T	H	A	I	Y	O	C	F	S
S	I	Y	C	T	E	A	O	H
Y	F	H	S	A	T	O	C	I
O	S	I	Y	C	H	T	A	F
A	C	T	F	O	I	H	S	Y

Word:
FISHY TACO

O	E	T	B	A	L	J	M	G
B	L	G	T	M	J	E	O	A
A	M	J	E	G	O	B	T	L
E	G	L	O	B	T	M	A	J
T	J	B	A	L	M	O	G	E
M	O	A	J	E	G	T	L	B
G	B	O	L	T	E	A	J	M
L	T	E	M	J	A	G	B	O
J	A	M	G	O	B	L	E	T

Word:
JAM GOBLET

Puzzles 41 & 42

I	C	R	U	G	E	P	F	K
G	F	P	C	R	K	I	U	E
E	K	U	I	F	P	G	C	R
F	E	C	G	K	U	R	I	P
U	R	G	F	P	I	K	E	C
P	I	K	R	E	C	F	G	U
C	G	E	P	I	R	U	K	F
K	P	F	E	U	G	C	R	I
R	U	I	K	C	F	E	P	G

Word:
PIG FUCKER

Word:
CHUMBLIES

M	U	S	B	C	L	I	E	H
B	I	E	U	M	H	C	L	S
H	C	L	E	S	I	B	M	U
I	L	H	S	U	E	M	C	B
E	S	C	M	H	B	L	U	I
U	B	M	I	L	C	H	S	E
S	E	I	L	B	M	U	H	C
C	M	U	H	I	S	E	B	L
L	H	B	C	E	U	S	I	M

Puzzles 43 & 44

C	I	B	M	H	A	N	S	U
S	C	U	N	I	C	H	B	M
H	N	M	B	S	U	C	I	A
N	S	C	H	M	B	U	A	I
U	M	H	S	A	I	B	C	N
I	B	A	C	U	N	S	M	H
B	H	I	A	N	S	M	U	C
A	C	N	U	B	M	I	H	S
M	U	S	I	C	H	A	N	B

Word:
BUM CHAINS

G	S	T	R	L	D	A	I	O
L	O	D	A	S	I	T	G	R
R	I	A	O	G	T	L	D	S
I	D	R	L	O	G	S	T	A
O	G	S	T	A	R	D	L	I
A	T	L	D	I	S	O	R	G
D	L	I	S	R	O	G	A	T
S	A	G	I	T	L	R	O	D
T	R	O	G	D	A	I	S	L

Word:
LOG TARDIS

Puzzles 45 & 46

U	P	Y	S	A	H	I	R	C
R	S	C	I	P	U	A	Y	H
H	A	I	R	Y	C	U	P	S
A	R	P	U	H	I	S	C	Y
S	I	H	Y	C	P	R	U	A
Y	C	U	A	R	S	P	H	I
I	U	R	H	S	Y	C	A	P
P	Y	S	C	U	A	H	I	R
C	H	A	P	I	R	Y	S	U

Word:
HAIRY CUPS

D	Q	E	B	R	A	M	I	U
A	U	R	I	Q	M	B	D	E
M	I	B	D	E	U	R	Q	A
R	M	D	Q	I	E	U	A	B
I	B	A	R	U	D	Q	E	M
U	E	Q	A	M	B	I	R	D
Q	A	U	M	D	R	E	B	I
B	R	M	E	A	I	D	U	Q
E	D	I	U	B	Q	A	M	R

Word:
QUIMBEARD

Puzzles 47 & 48

D	S	T	G	C	O	H	A	M
O	M	C	A	H	D	T	S	G
G	A	H	T	S	M	O	D	C
A	C	G	O	D	T	S	M	H
S	O	D	H	M	A	C	G	T
T	H	M	S	G	C	D	O	A
H	G	A	D	T	S	M	C	O
C	D	O	M	A	H	G	T	S
M	T	S	C	O	G	A	H	D

Word:
DOG'S MATCH

L	S	E	T	A	N	C	O	B
O	B	T	C	E	L	S	N	A
N	A	C	B	O	S	L	E	T
S	N	O	A	C	E	T	B	L
E	T	A	L	N	B	O	S	C
B	C	L	O	S	T	E	A	N
C	O	N	S	T	A	B	L	E
T	E	B	N	L	O	A	C	S
A	L	S	E	B	C	N	T	O

Word:
CONSTABLE

Lexicon of filth

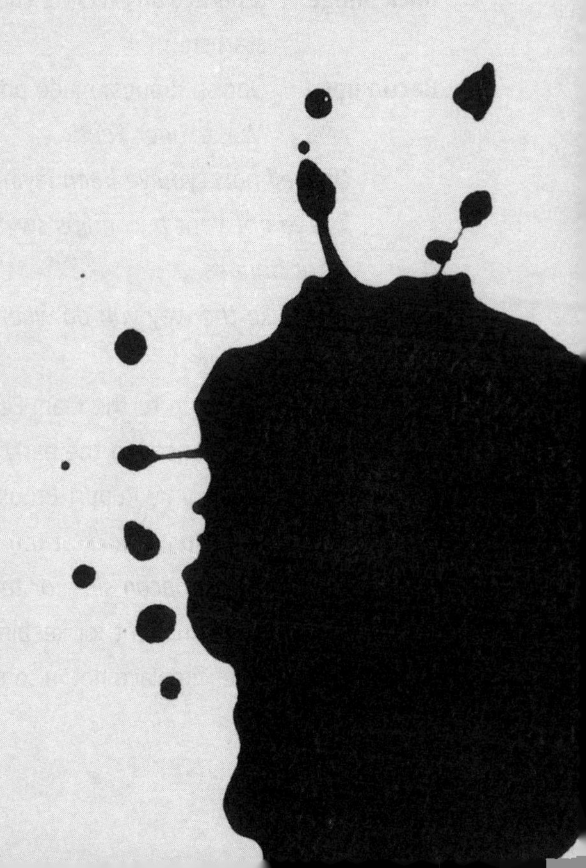

Arse goblin a gigantic spiky turd following a prolonged period of constipation; may take a fortnight to fully evacuate the premises.

Arsemelon an unfeasibly large haemorrhoid.

Back minge a particularly hirsute chocolate starfish.

Bacon lips Danish drapes; made popular by Mud's *Tiger Feet*:

Oh well now, you've been laying it down
You've got your bacon lips swinging out of bounds
And I like the way you do what you're doin' to me.

Bacon slit entrance to the Clam Festival. Popularised in the early twentieth century by Rupert Brooke:

Stands the Church clock at ten to three?
And are there bacon slits for tea?

Beef poker an instrument for keeping the beef fireplace hot; also useful for rattling the beef mantelpiece and, once a year, getting round the back and excavating the beef flue.

Bucksnort to let one off, to launch an air biscuit, to beef off an ear-splitting gurk.

Bum chains supply chain managed exclusively by members of the National Association of Rear Gunners.

Bumholing quaint vicar-friendly reference to *fishing for brown trout* or *bowling from the Pavilion End.*

Bunker buster large turds. Sufficiently large that if dropped from a helicopter could break through 20 metres of reinforced concrete. Can also refer to inconsiderate golfers who curl one off in the sand and hope that the group of men behind will clear up.

Chain jerk orgy (sometimes known as a Mongolian clusterfuck, even when there are no Mongolians within four thousand miles of the club sandwich).

Chumblies robotic servants of a race of hideous, tusked monstrosities in *Dr Who* (circa 1965); goolies.

Clam joust straightforward, no frills, what-you-see-is-what-you-get fuzz bumping.

Clown's hat headgear worn by certain circus artistes to make them look like giant clitorises.

Constable an unevenly shaved beaver, (pron. cun stubble).

Crabhouse a not very upscale knocking shop.

Cream jugs post-soapy-tit-wank torpedoes.

Crop sprayer pebble dashing. For example, one's girlfriend might expostulate: "My toilet is a disgrace. I don't mind you parking the fudge sensibly but crop spraying is out. I can't see through the window."

Deck quoit an unusually well reamed out kipper mitten.

Dog wanker animal rights enthusiast.

Dog's match sexual activity in public places such as dentists' waiting rooms, off licences and churches.

Dogbreath the consequence of spending the evening in the company of fourteen pints of premium lager and forty cigarettes. The same effect can be achieved more cheaply and elegantly by waiting until next door goes out and nipping over the fence to give her Irish wolfhound a good rimming.

Dung fairy a brown hatter, a chap who *dives from the other board.*

Fishy taco Chinese for fishing tackle; Latin American version of the ever-popular haddock pastie.

Froggy cheeks sudden bulging of the cheeks caused by an unexpectedly ferocious discharge of creamed beef into them.

Fudge lizard similar to a lounge lizard but *operates in the other saloon.*

Fudge slot section of a supermarket aisle that is reserved specifically for the display of soft, brown sweetmeats; often sought eagerly by those who *shop in the other aisle.*

Greyhound a very short skirt (always just a few centimetres from the hare).

Hairy cups an appetising sequence of compact chuffs; smaller versions of the hairy goblet.

Jam goblet stage centerpiece in a period drama; receptacle carried by the painters when they're in.

Joy muscle a spam javelin or knob.

Jugwanker generally someone who squirts at the butterbags rather than someone who wanks into a jug (except in the Isle of Man).

Knob crust hardened deposits usually found four or five days after the first appearance of wank slime (q.v.).

Knob juice duck butter or bollock yoghurt.

Knobheads term used affectionately by the former Archbishop of Rotherham to describe his flock.

Log tardis outdoor toilet.

Lungwarts a noticeably underdeveloped pair of cantaloups; similar to rib walnuts (q.v.) but wartier.

Pig fucker person with an understandable penchant for very ugly, fat women who smell like aardvarks (except in Wales where it means someone who fucks pigs); HRH The Princess Angelica's pet name for one of the royal corgis.

Pink cobra old Johnny One Eye's back; poisonous version of the pink oboe.

Pube fairy supernatural being who appears in the middle of the night and places a large pubic hair under your pillow.

Pudstroke a short, sharp burping of the worm; debilitating seizure suffered by a meringue.

Quimstake medieval weapon of choice for parking one's mutton bayonet; this was long before technology brought us the porridge gun and the revolutionary custard bazooka.

Quimbeard character in *The Lord of the Rings*; Bluebeard's mum.

Rainbow dick a condition caused by the different lipsticks of seven slappers operating in rapid succession.

Rib walnut a small but nevertheless low hanging fried egg; a bap that is, sadly, as flat as a halibut's dick.

Rim sludge the emulsion caused by the combination around the ringpiece of love custard and faecal debris upon successful completion of a blast off in someone's fudge tunnel.

Rim tongue condition caused by a prolonged period of anilinctus, as in "Gosh darling, I've been mouthing the old cornhole for so long I've got a dose of rim tongue"; oral equivalent of trench foot, a disease of the feet also caused by prolonged immersion in a wet, smelly and unsanitary environment.

Ring flaps natural tearing and shredding of the batcave caused by a lifetime of *fishing from the other boat.*

Shitpoker the activities of an accomplished pork sworder, often one who *travels on the other bus.*

Slag chute dive for picking up biffer bimbos; not as nice as a crabhouse (q.v.).

Spam flute musical version of the veiny custard-spreader (note: hyphen necessary to avoid confusion with the act of spreading veiny custard, which is a different problem that requires psychiatric treatment).

Squidwank a wank administered by someone who doesn't really get wanking – refers to the random and

unrhythmic finger movement that delays one's curd spurt. First occurrence in Enid Blyton's *Five go to Smuggler's Cave*:
"Gosh Anne", said Julian breathlessly as he scoured the cove for swarthy rotters, "I've had lashings of squidwanks from you recently. You can jolly well practice on Timmy [irritating little dog] for a few days before you get anywhere near my Hampton again."

Tar goblin a chutney farmer or dung fairy (q.v.), one who habitually *fields for the opposition* OR an unfeasibly large and spiky turd that seems to be using a pick axe and spade to effect its exit.

Traveller's marrow an enormous root vegetable that ripens in the chocolate runway when you're on a plane.

Tuna ridge perineum, or chin rest. Useful place to hang your car keys when eating a furburger.

Veiny spam spam that has absorbed some of the characteristics of stilton. Often used as a romantic enticement as in, "Come round to my place tonight darling. We can have fifteen pints of Stella and then you can try some of my veiny spam while we're watching the football."

Wank slime congealed deposits around the end of one's purple-headed yogurt gun following the successful completion of a galloping of the old lizard. (In Australia a term of endearment as in 'Would you care to dance, you wall-eyed wankslime?').